JOSÉ LUÍS PEIXOTO
MORRESTE-ME

8ª impressão

PORTO ALEGRE
SÃO PAULO
2021

Copyright © 2000 José Luís Peixoto
Edição publicada mediante acordo com Literarische Agentur Mertin, Inh.
Nicole Witt, Frankfurt, Alemanha

Revisado segundo o Novo Acordo Ortográfico da Língua Portuguesa.
Nos casos de dupla grafia, foi mantida a original.

CONSELHO EDITORIAL Gustavo Faraon e Rodrigo Rosp
REVISÃO Julia Dantas e Rodrigo Rosp
CAPA E PROJETO GRÁFICO Luísa Zardo
FOTO DO AUTOR Patrícia Pinto

DADOS INTERNACIONAIS DE
CATALOGAÇÃO NA PUBLICAÇÃO (CIP)

P379m Peixoto, José Luís
Morreste-me / José Luís Peixoto
— Porto Alegre : Dublinense, 2015
64 p. ; 19 cm

ISBN: 978-85-8318-057-9

1. Literatura Portuguesa. 2. Novela Portuguesa.
I. Título.

CDD 869.389

Catalogação na fonte:
Ginamara de Oliveira Lima (CRB 10/1204)

Todos os direitos desta edição
reservados à Editora Dublinense Ltda.

EDITORIAL
Av. Augusto Meyer, 163 sala 605
Auxiliadora • Porto Alegre • RS
contato@dublinense.com.br

COMERCIAL
(51) 3024-0787
comercial@dublinense.com.br

MORRESTE-ME

Edição apoiada pela Direção-Geral do Livro,
dos Arquivos e das Bibliotecas / Portugal

 SECRETÁRIO DE ESTADO
DA CULTURA

À memória de José João Serrano Peixoto

Regressei hoje a esta terra agora cruel. A nossa terra, pai. E tudo como se continuasse. Diante de mim, as ruas varridas, o sol enegrecido de luz a limpar as casas, a branquear a cal; e o tempo entristecido, o tempo parado, o tempo entristecido e muito mais triste do que quando os teus olhos, claros de névoa e maresia distante fresca, engoliam esta luz agora cruel, quando os teus olhos falavam alto e o mundo não queria ser mais que existir. E, no entanto, tudo como se continuasse. O silêncio fluvial, a vida cruel por ser vida. Como no hospital. Dizia nunca esquecerei, e hoje lembro-me. Rostos tornados desconhecidos, desfigurados na minha certeza de perder-te, no meu desespero desespero. Como no hospital. Não acredito que possas ter esquecido. Enquanto esperava pela minha mãe e pela minha irmã, as pessoas passavam por mim como se a dor que me enchia não fosse oceânica e não as abarcasse também. As mulheres falavam, os homens fumavam cigarros. Como eu, esperavam; não a morte, que nós, seres incautos, fechamos-lhe sempre os olhos na esperança pálida de que, se não a virmos, ela não nos verá. Esperavam. Num carro demasiado rápido, a minha mãe, curvada de perder o que possuía, e a minha irmã. Os homens e as mulheres falavam e fumavam ainda quando subimos. No quarto, numa cama qualquer que não a tua, o teu corpo, pai. Talvez distante, preso num olhar entreaberto e amarelado, respiravas ofegante. O ar com que lutavas, lutavas sempre, gritava o seu caminho rouco. Pelo nariz, entrava o tubo que te sustinha. Aos pés da cama, a minha mãe calada, viúva de tudo. À cabeceira, a minha irmã, eu. Cortinas de plástico, biombos de banheira separavam-nos das outras camas. Pousei-te as mãos nos ombros fracos. Toda a força te esmorecera nos braços, na pele ainda pele viva. E menti-te. Disse aquilo em que não acreditava. Ao olhar amarelo, ofegante, disse que tudo serias e seríamos de novo. E menti-te. Disse vamos voltar para casa, pai; vamos que eu guio a carrinha, pai; só enquanto não puder, pai; vá, agora está fraco mas depois, pai, depois, pai. Menti-te. E tu, sincero, a dizeres apenas um olhar suplicante, um olhar para eu nunca mais esquecer. Pai. À hora, mandaram-nos sair. Quando saímos, agarrados como náufragos, a luz abundante bebia-nos.

E esta tarde, e esta terra agora cruel. Na nossa rua, a nossa casa. A porta do quintal parada à minha frente, fechada, desafiante. Dizia nunca esquecerei, e esta tarde lembrei-me. Com os teus movimentos, tirei do bolso o teu molho de chaves e, como costumavas, usei todos os cuidados para escolher a chave certa, examinando cada uma, orgulhando-me de cada uma. E, na fechadura, o triunfo. As coisas a acontecerem devidamente. A ferrugem, as dobradiças soltaram um grito como um suspiro ou um estertor. O alumínio rente ao mármore arrastou, varreu uma figura certa e branca no cobertor grosso de folhas de pessegueiro. Abandonado sobre o tamanho grande de um inverno, o quintal de quando eu era pequeno, o quintal que construíste, pai. Tristes tristes flores novas e folhas novas nos ramos das árvores, canteiros pintados de malvas, trevos, ervas verdes, verdes de quando eu era pequeno e tu chegavas e me ensinavas trabalhos de grande. Orienta--te, rapaz. Eu oriento-me, pai. Não se preocupe. Eu também sei, eu também consigo. Eu oriento-me, pai. Não se rale. O trabalho não me mete medo.

Esteja descansado, pai. Flores novas e folhas novas nos ramos das árvores, canteiros pintados de malvas, trevos, ervas verdes, verdes desta primavera triste triste.

Se pudesse tinha-te protegido. Chamavas-me pelo nome, chamavas--me filho, e ouvir o meu nome na tua voz, e ouvir filho no fio cálido da tua voz era uma emoção funda. Se pudesse tinha-te protegido. A esperança, pai. De três em três semanas, cinco manhãs seguidas viam-te ir ao tratamento; eu, teu filho, via-te ir ao tratamento e doía-me a vida, doía-me a vida que em ti se negava, a vida a gastar-te, ainda que a amasses, a vida a derrubar-te, ainda que a amasses. O tratamento. Falavas nele, dizias a palavra, dizias vou ao tratamento e nós que sabíamos, enchíamo-nos de uma amargura indelével, definitivamente marcada vincada na nossa pele interior. Por tua vontade, nunca te atrasavas. Dizias vou ao tratamento, apressavas-me, apressavas a minha mãe, como se alguma coisa te pudesse curar, como se alguma coisa te pudesse devolver os dias. No hospital, a sala de espera estagnada de tempo inútil e a minha mãe sentada, só, longe da nossa casa e dos nossos sítios, como uma menina tímida, envergonhada. Tu a afastares-te, como o rapaz tratador de vida que sempre quiseste que eu fosse, a afastares-te, vestido com a camisa mais nova e as calças mais novas e a camisola que a minha irmã te deu pelos anos, a afastares-te, pelos corredores carregados de cinzento e acesos de electricidade baça, a afastares-te, e a sensação terrível de nunca mais voltares.

Entrei em casa. Apenas a lareira fria, as janelas fechadas a moldarem sombras finas no escuro. Do silêncio, da penumbra, um crescer de espectros, memórias? Não, vultos que se recusavam a ser memórias, ou talvez uma mistura de carne e luz ou sombra. E vi-te pensei-te lembrei-te, à mesa, sentado no teu lugar. Ainda sentado no teu lugar, e eu, a minha mãe, a minha irmã, sentados também, a rodearmos-te. Iguais ao que éramos. Ali estávamos há muito tempo, esquecidos abandonados desde um dia em que o passar das coisas parou na nossa felicidade simples singela. Como uma alegria, como se tivéssemos jantado ou esperássemos jantar ou o melhor banquete, estávamos. Felizes. Nada me era dito, mas eu, olhando, sabia tudo, como se fosse óbvio, como se não pudesse ser de outra maneira. Tu, de certeza, tinhas chegado do trabalho, e tinha sido um bom dia, e estavas contente por isso, e as pessoas não faltavam com o pagamento e isso era bom. A minha irmã andava no liceu, e as notas eram só satisfazes muitos e bastantes, e ainda era esperta, e sorria por isso. Eu andava no primeiro ano da telescola, e não pensava nas notas, e tinha jogado à bola, e tinha ganho, e se tivesse perdido era igual. A minha mãe, mãe verdadeira de todos nós, olhava-nos e sorria assim e sorria por isso. Felizes. Distantes da chuva grossa deste inverno negro, distantes do teu corpo gelado. Lívido na luz trémula das velas, arranjadinho, penteado com água, vestido com o fato que usaste no casamento da minha irmã: o teu corpo gelado. E a Capela de São Pedro cheia de gente a abraçar-me, cheia de gente a dizer-me coitadinho e os meus pêsames e sinto muito, cheia de gente a procurar-me e a querer agarrar-me e prender-me e dizer coitadinho e os meus pêsames e sinto muito. Pai. Perder-te. E revivi o silêncio insepulto dos teus lábios mortos. E as sombras de nós, como se apenas esperassem estes pensamentos para se perderem, misturaram-se no preto. O pó das horas sem gente a vivê-las cobriu os móveis e o espaço fechado entre eles. As paredes voltaram a separar o inverno nocturno, permanente da casa e o ciclo alternado dos dias e do mundo, alheio a nós, para lá de nós.

Comigo, a casa estava mais vazia. O frio entrava e, dentro de mim, solidificava. As várias sombras da sombra de mim, imóveis, passeavam-se de corpo para corpo, porque todos eles, todos meus, eram igualmente negros e frios. E abri a janela. Muito longe do luto do meu sentir, do meu ser, ser mesmo, o sol-pôr a estender-se na aurora breve solene da nossa casa fechada, pai. E pensei não poderiam os homens morrer como morrem os dias? Assim, com pássaros a cantar sem sobressaltos e a claridade líquida vítrea em tudo e o fresco suave fresco, a brisa leve a tremer as folhas pequenas das árvores, o mundo inerte ou a mover-se calmo e o silêncio a crescer natural natural, o silêncio esperado, finalmente justo, finalmente digno.

Pai. A tarde dissolve-se sobre a terra, sobre a nossa casa. O céu desfia um sopro quieto nos rostos. Acende-se a lua. Translúcida, adormece um sono cálido nos olhares. Anoitece devagar. Dizia nunca esquecerei, e lembro-me. Anoitecia devagar e, a esta hora, nesta altura do ano, desenrolavas a mangueira com todos os preceitos e, seguindo regras certas, regavas as árvores e as flores do quintal; e tudo isso me ensinavas, tudo isso me explicavas. Anda cá ver, rapaz. E mostravas-me. Pai. Deixaste-te ficar em tudo. Sobrepostos na mágoa indiferente deste mundo que finge continuar, os teus movimentos, o eclipse dos teus gestos. E tudo isto é agora pouco para te conter. Agora, és o rio e as margens e a nascente; és o dia, e a tarde dentro do dia, e o sol dentro da tarde; és o mundo todo por seres a sua pele. Pai. Nunca envelheceste, e eu queria ver-te velho, velhinho aqui no nosso quintal, a regar as árvores, a regar as flores. Sinto tanta falta das tuas palavras. Orienta-te, rapaz. Sim. Eu oriento-me, pai. E fico. Estou. O entardecer, em vagas de luz, espraia-se na terra que te acolheu e conserva. Chora chove brilho alvura sobre mim. E oiço o eco da tua voz, da tua voz que nunca mais poderei ouvir. A tua voz calada para sempre. E, como se adormecesses, vejo-te fechar as pálpebras sobre os olhos que nunca mais abrirás. Os teus olhos fechados para sempre. E, de uma vez, deixas de respirar. Para sempre. Para nunca mais. Pai. Tudo o que te sobreviveu me agride. Pai. Nunca esquecerei.

É o teu rosto que encontro. Contra nós, cresce a manhã, o dia, cresce uma luz fina. Olho-te nos olhos. Sim, quero que saibas, não te posso esconder, ainda há uma luz fina sobre tudo isto. Tudo se resume a esta luz, fina a recordar-me todo o silêncio desse silêncio que calaste. Pai. Quero que saibas, cresce uma luz fina sobre mim que sou sombra, luz fina a recortar-me de mim, ténue, sombra apenas. Não te posso esconder, depois de ti, ainda há tudo isto, toda esta sombra e o silêncio e a luz fina que agora és.

Pai. Eu, a minha mãe. A madrugada. Desinteressado do nosso cansaço, o sol levantou-se no céu. E parou. O sol parou. Entre mim e ela deixou de haver tempo. Parou o tempo. Nos meus olhos, a tua mulher sem ti, a tua viúva. Nos seus olhos, eu. E sobre nós, em nós, tu, a tua presença, a tua ausência. E separados por nada, os olhares maciços, um dentro do outro e esse dentro do primeiro; os dois olhares na unidade fixa de um único. A tua viúva. Deu-me a chave da carrinha, deu-me as chaves de casa, disse-me vai devagar, vai com cuidado, vai devagar. Os olhares não se separaram. Os corpos distanciaram-se. E ficou parada à porta da casa da minha irmã. Cada vez mais longe, cada vez mais e mais, mais, cada vez mais longe. O seu vulto negro, quase a sua sombra. E sobre o cansaço, só o luto, só a força triste adulta do seu olhar. Os corpos distanciaram-se, mas a face da tua memória, o mundo, acorrentou-nos definitivamente. Longe, na nossa pele, nasceu uma brisa. O sol levantou-se no céu.

Agora, sento-me no teu lugar de condutor. Lembro o que me ensinaste, o que aprendi. Seguíamos caminhos de areia que levavam, que traziam os homens das herdades e dos montes em carroças e tractores e, ao chegarmos ao campo da bola, paravas a carrinha, trocávamos de lugar, cruzávamo-nos no pára-brisas; liga o motor, e pisava a embraiagem e rodava a chave e ligava o motor. Na aragem crepuscular dos dias longos de verão, íamos devagar. Ensinavas-me. Entre o riso simpático miúdo dos pardais que se levantavam a voar dos campos ralos de palha e o sono pesado que os sobreiros abatiam sobre a terra, os teus ditos de professor a antecederem os meus movimentos. Na aragem, íamos devagar. Depois, se fazia alguma coisa mal, dizias que eu era um cabeça-no-ar e fingias que ralhavas; eu ouvia calado, orgulhoso por me achares capaz, distraído mas capaz. Ensinavas-me. Grave, porque grave era a lição, apontavas-me cada passo com o olhar e dizias mete a primeira, segura bem o volante, vai largando a embraiagem. Os teus gestos, a forma das tuas mãos a segurar o volante; a forma das minhas mãos, o volante, os meus gestos. As coisas e eu mexem-se, deslocam-se todas. Vou. Parto para o que sobra de ti e tudo são resquícios do que foste. Parto de ti, viajo nos teus caminhos, corro e perco-me e desencontro-me no enredo de ti, nasço, morro, parto de ti, viajo no escuro que deixaste e chego, chego finalmente a ti. Pai. Ao lado desta manhã, a outra vez. A primeira noite que não viste. A noite sem lua, só noite negra a encher-nos todos. Sólida, a noite grande enorme, a noite sem mais que o seu e o nosso negro. Espessa, a noite a travar o carro. E a chuva grossa, e cortinas de chuva, e correntes de água limpa nos vidros foscos do carro. O negro líquido da noite a mover-se, a acordar em figuras redondas de água. E a chuva pesada, o peso inteiro da água ou do céu a vergar as árvores e as costas, a afastar a gente e tudo da nossa passagem. A chuva, lagos e cascatas, um oceano, o mar, chuva longa e perene. A outra vez, a outra viagem sem esperança. Inocente indefeso adormecido sereno, tu. As ideias, as tuas memórias cobertas por madeira e verniz e um crucifixo. O caixão fechado. A chuva, a noite. A minha mãe e a minha irmã choravam, diziam palavras e dor, choravam, diziam palavras mais palavras. E o trabalho das tuas mãos grossas ásperas, suaves ternas para mim, repousava, repousavam uma sobre a outra. O homem da agência funerária conduzia sem nos ver e falava como se o pudéssemos ouvir. E o teu corpo, lavado com um pano húmido e vestido sem vontade, tão direito. Só chuva e noite, pai. Atrás de nós, o passado a crescer quilómetro a quilómetro. E tu, já sem passado, perdido nele e a partir dele a seres dor e palavras, chuva e noite. Tu impossivelmente morto. Pai. Apenas chuva. Apenas noite.

E falta justiça à insistência desta manhã, falta justiça ao artificial desta primavera, a esta luz fina. O ar finge-se respirável, a lezíria finge-se infinita na asfixia deste lugar pequeno e emparedado. E este lugar que era mundo, agora, vazio oco quer ser mundo ainda. E, realmente, tudo se mantém suspenso. Tudo quer e tenta ser igual. Todos parecem acreditar. Sem ti, as pessoas ainda vão para onde iam, ainda seguem as mesmas linhas invisíveis. Mas eu sei, pai. Perderam-se as leis contigo. Perdeu-se a ordem que trazias. Pai. O céu arrasta nuvens transparentes num êxodo lento. A estrada corta este mundo, divide, directa ao horizonte que não há, directa ao céu. Ao nosso lado, passam a correr, a fugir, a deslizar oliveiras, passam troncos verticais direitos, momento a momento, passam, alternam-se, sobrepõem-se copas emaranhadas de oliveiras. Cresce a manhã, cresce o cansaço. E a luz insiste. E a primavera. E o motor insiste uma entoação constante de insecto, uma constante voz subterrânea que a pouco e pouco se me infiltra entre as costelas e, na prisão do meu peito, se torna grito. Seguro o volante. Cresce a manhã, cresce o cansaço.

Vou. Avanço, avanço e regresso. E cada quilómetro, um mês; e cada metro, um dia. Avanço para o que fomos. Encontrei nas pedras deste caminho, no luminescente desta viagem, um espaço por onde entrei e acelero, onde cada quilómetro em frente é um mês que recuo. E avanço neste caminho que fizemos mil vezes juntos e avançam as estações do ano: primavera inverno outono verão primavera inverno... E avançam os quilómetros neste sítio onde entro como se caísse. Vertiginosamente. Atiro-me neste poço, no fundo que não se vê deste poço. E há tanta luz. Há os instantes que vivemos mil vezes juntos e que agora nascem sem nós e nos ultrapassam. Há o sol que partilhámos mil vezes e que agora não te aquece, que agora não me aquece. Pai. Passo por tudo e tudo me deixa e passa por mim. Caio. Avanço. Regresso.

Na berma da estrada, entre extensões amarelecidas de mato e cardos secos, entre searas gigantes de trigo, rompem ervas corajosas poucas, rompem papoilas que do fogo sangue das suas chamas ateiam o louro, o áureo. Marés fulvas ardem. Mantas amarelas que sobem ao céu e ao sol, que o trespassam e jorram dele. E na manhã, quase tarde, desta primavera tórrida, tanto brilho encandeia. Cego, olho para o lado e vejo-me pequeno, há muitos anos, sentado sob a faixa importante do cinto de segurança, vejo-me sem paciência a perguntar quanto é que falta? Volto com o olhar à estrada. Respiro. Encontro em mim a serenidade para dizer falta pouco, falta pouco. Fixo o traço contínuo ou intermitente, branco e fito-me, pequeno de uns dez ou onze anos, fito-me tornado mancha e vulto no canto do olho. Quanto é que falta? Na terra, o pó eleva a idade e a combustão desta hora. Falta pouco, falta pouco. Atravessamos uma vila branca e tão deserta como esta estrada vazia, esta estrada sem ninguém. Atravessamos uma vila, já perto da nossa, esta vila de casas brancas, esta vila que conhecias e onde te conheciam. Atravessamos esta vila deserta onde todos te esqueceram. Dos meus lábios, as tuas palavras, os teus lábios, o teu conto pequeno e igual que contavas e sabias de cor, e sabíamos de cor. O conto. E perguntava-te se era verdade, se tinha mesmo acontecido; tu, simples, escondendo detalhes no olhar abstracto e no veludo liso vivo da face e da testa, como se respondesses, dizias é um conto. E selavas a conversa, e não falávamos mais sobre isso. Olho-me, vejo-me no banco, atento ao que pensava, pequeno e grandinho para os poucos anos, alimentado, a crescer, a faltar-me nada. E sinto uma alegria, a satisfação de ter conseguido dar o que não pude ter; contente, a satisfação imensa de ter conseguido. Sim, pai, conseguiste. Conseguiste tudo. Deste--me o que tenho. Construíste-me e construíste esperança no que tocaste. E olho-me pela última vez, vejo-me. A carne, o querer de criança. E sigo a febre, o fervente do que se aproxima e afasta. Quanto é que falta?, ouço ainda. Viro-me de repente e só o lugar vazio, o silêncio mais intenso, o sítio das palavras vago em cada linha de claridade, em toda esta luz. Invento, e digo falta pouco, falta pouco.

Não me mentias, pai. Estamos já perto da nossa terra. Estamos a chegar. As curvas, as árvores, os campos tornaram-se conhecidos aos meus olhos. Se aqui estivesses, já me estava a aprontar e a ajeitar para sair da carrinha. Já estava a planear e a pensar com avanço, como tu pensavas. Pai. Contava-te tudo na certeza de não te perder e perdi-te. Perdi o meu amigo. Tantas saudades. Pai amigo. Estamos a chegar. E o sol estende-se em tudo, como o inverno se espraiou, fúnebre, na noite em que te perdi, na noite em que vi surgir, como vejo agora, o perfil da nossa terra, desta terra agora cruel.

Passei a noite sozinho. Sentado ao lume que não arde, como se me visitasses. Como se, com a tenaz, dispusesses uma fila de castanhas ao calor das brasas e depois as tirasses uma a uma e mas desses descascadas quentes, sem eu precisar de tas pedir. Como se ardesse, à lareira, sentado, como estiveste, de pijama, a segurares a tua neta e a brincarem os dois. Pai que te esforçavas a sair da cama, que aguentavas dores para estares minutos connosco, e nesse início de noite pegaste na tua neta. E estávamos falávamos quase esquecidos da tua doença quando, com a pouca agilidade, te levantaste e, entregando a menina à minha irmã, disseste a velhaca fez-me chichi no colo. Pai, inocente. A esticares a menina à minha irmã e nós a vermos o sangue alastrar-te nas calças e no casaco do pijama. Pai que nunca te vi tão vulnerável, olhar de menino assustado perdido a pedir ajuda. Pai, meu pequeno filho. Nós a rodearmos-te, e os teus gemidos distantes na verdade insuportável que ali te soterrou, a rodearmos-te, e as nossas lágrimas sem préstimo no pânico, nós a rodearmos-te e a despirmos-te o casaco empapado de sangue, e a minha mãe a envolver-te a barriga numa toalha branca e logo vermelha.

E passou muito tempo nos nossos rostos. Imóveis, enquanto esperávamos que o sangue parasse, aconteceu como se nos tivéssemos abraçado. Fomos juntos. E a minha mãe, só a tratar de ti, com a ponta húmida de um pano, lavou-te a barriga e a cicatriz. Onde estiveste esta noite, pai? Procurei-te para lá da memória, nos cantos que só nós conhecemos, e não te vi. Vi apenas, no negro dos cantos antes iluminados, o negro da tua falta, a dor sem fim que só se pode sentir. Procurei-te nos cantos da noite.

Entrei no teu quarto, no quarto da minha mãe. E a cama feita. A colcha da cama para onde saltava aos domingos de manhã e abanava-vos os ombros e gritava e o dia começava. O espaço vazio do berço que não quis abandonar.

A cama onde dormiste tantas horas sob a inconsciência dos medicamentos, das morfinas que te davam para viver ou para dormir. E se acordavas, num grito amordaçado dizias tu não ouves? Para ninguém, perguntavas tu não ouves?, e nós corríamos em passos breves até à luz acesa do candeeiro, até ao teu rosto magro tatuado de sofrimento, e pedias o comprimido e dizias dá-me depressa o comprimido que não posso estar com dores. Olhávamos-te sem poder falar. Faltava muito para a hora do medicamento, pai. Faltava em nós o que aprendemos de ti, a força. E o quarto ficava com a doença e não a fechava, estendia-a por toda a casa e tudo o que se podia tocar. Do quarto, o cheiro escuro podre da doença. O cheiro que ainda hoje senti no quarto abandonado só. Abri as gavetas da cómoda, procurei-te, abri as portas do armário. Toquei as roupas que nunca mais vestirás e que vestias, que lembro no teu peito de carne, nos teus braços grossos, nas pernas brancas finas que mostravas na praia e com que brincávamos por serem tão finas e tão brancas, por serem pernas de homem e nunca apanharem sol. Vi as gravatas de cores que usaste antes de eu nascer ou que usaste quando me foste ver à maternidade, contente, tão contente como as pessoas me dizem, a falares-me com a tua voz meiga de falar às crianças, a fazeres-me festas no toque suave das tuas mãos gastas pelo incansável de construir trabalhar para nós. E vesti as tuas roupas. Tenho-as vestidas. Nem largas, nem curtas, vesti as tuas roupas e olhei-me no espelho sobre a cómoda. No reflexo, encontrei-te, vi-te passar a mão rapidamente pelo cabelo e alisar a roupa no corpo e acertar o colarinho da camisa. Pai, olhaste-me fixamente nos teus contornos de rapaz. E saíste para onde ias, que tinhas sempre destino. Vi-me igual a ti, nas tuas feições firmes. É-me difícil descrever o teu rosto. O teu cabelo encaracolado ou fraco curto pouco no hospital; as tuas sobrancelhas, os teus dedos a pentearem-nas; o tempo fino dos teus lábios a sorrirem ou a rirem-se mesmo ou a sofrerem; os teus lábios tapados com um algodão para não saírem cheiros de dentro de ti, pai; a pele das tuas faces, a barba que picava nos beijos, o beijo que me deste na madrugada em que saíste para a primeira operação e me abraçaste como se te despedisses e choraste e chorámos e disseste meu rico filho e ainda recordo o teu perfume na luz amarela da cozinha e ainda recordo os teus braços a puxarem-me de encontro a ti e tu a ires e eu a ficar sozinho; a pele das tuas faces, o beijo que dei no teu rosto morto, na tua pele mais lisa do que qualquer pele, mais gelada, a pele e o beijo que não esqueço; os teus olhos, atentos pensativos no sol sol dos domingos, nos almoços grandes dos domingos, ou o teu olhar triste sobre as obras que mandaste fazer e fizeste para nós e que nunca pudeste ver prontas. Pai. Procurei-te ainda. Abri a gaveta da mesinha de cabeceira do teu lado da cama. A gaveta cheia de papéis das tuas contas, cheia do que viveste e resiste agora sem vida. Parada no ar, a minha mão dirigiu-se à tua gaveta. E, onde o pousaste cansado, o teu relógio de pulso, ainda à tua espera, ainda a passar segundos: um outro outro outro: segundos a sobreporem-se ainda, mesmo depois de ti, ainda segundos e tempo, como se nada lhes tivesse alterado o labor ténue de tecer um fio delgado interminável, como se fosse interminável o tempo, o fio ténue, como se não pudesse ser cortado a qualquer instante, a qualquer segundo, como se não tivesse sido cortado, abruptamente cortado, para nunca mais se voltar a unir, nunca mais nos voltar a unir. Abri a bracelete do teu relógio e fechei-a no meu pulso. Ainda as marcas de suor, ainda tu. Parada no ar, a minha mão dirigiu-se à tua gaveta. E, entre facturas, entre somas e multiplicações calculadas com os teus números, descobri um quadrado pequeno de cartolina com um coração redondo de papel de lustro. Abri-o e, com as minhas letras infantis, sobre linhas feitas com uma régua, li: Amo o meu pai,/ Amo o meu paizinho,/ Não tenho mais para te dar,/ Dou-te o meu carinho. E chorei.

Passei a noite sozinho. Contigo. Perto do silêncio absoluto. No negro que não existia quando as noites esperavam manhãs com o sol, a vida que descia do teu sorriso e parava e corria nos nossos rostos. Agora, negro negro, oposto às manhãs de junho, à primavera que destilavas na brisa sem fim do teu olhar e nos devolvias en sinavas, para agora nos faltar, como vida, como sol, no tempo que não nos quer e nos arrasa; para agora apenas lembrarmos a tempestade do teu olhar sob coroas de flores, o inverno pesado do teu olhar, o vento, o dilúvio no peito e o negro de te chorarmos ali, sobre ti, como se houvessem lágrimas que pudessem conter o vazio que ficou dos gestos que não fazes, das palavras que não dizes, do olhar permanente que tinhas e já não podes ter. Pai, a casa é esta noite negra, fria sem a segurança maior que era tua e nos davas. Agora, o medo. Entraste na morte e já não podes voltar para me proteger. Passei a noite sozinho, sentado ao lume, a esperar-te. E já não podes voltar para mim, que te espero, que te amo.

Começa o dia a nascer nas coisas e as coisas a nascerem um pouco também. Abro as janelas. Nos vasos, as flores erguem-se para melhor sentirem a luz fina que as cobre. Sobre a terra, rasante, avança o luminoso, como uma praga que se estende e galopa, que avança como uma onda que não volta atrás. Aos poucos, começam gestos a surgir dos ramos suspensos das árvores. Atrás do muro caiado branco do nosso quintal, levantam-se as oliveiras na lonjura. Começam os pardais no céu. É luz o tempo, pai. E chegas no sol, expulsas a noite, trazes a manhã, como quando era sábado e me ias chamar e, no caminho da horta, acordava aos poucos. E colhíamos e comíamos laranjas ou pêssegos, consoante fosse uma altura ou outra. Se chovia, calçávamos as botas de borracha e seguia-te pelas veredas, pela terra, entre as ervas molhadas de gotas ou lágrimas de chuva. Se era o sol no céu, seguia-te até ao cimo da horta e, do tanque, fazíamos a água descer nos carreiros, a água na terra, fresca e limpa, e fazíamo-la ramificar-se na sua descida por todos os quadrados sedentos, por todas as plantas que tinhas disposto. E entrava lentamente pelos poros da terra, saciando o incêndio interior que ali a consumia. A terra que ardia e que sentíamos nos pés. Torrões de terra: brasas. Água a descer nos carreiros, como sangue mais puro. E esticávamos metros de mangueiras que desenrolávamos nos braços até às caldeiras das árvores que tinhas plantado; serenamente, formava-se um pequeno lago redondo aos pés de cada tronco. Neste inverno em que ficaste, pai, ninguém comeu as laranjas da nossa horta. As botas de borracha continuam onde as deixámos, entre enxadas e sementes, como se a qualquer momento pudesses abrir a porta e calçá-las de novo. Sei que não podes. Sinto-me como se fosse o único a saber e a não poder contar este segredo terrível. Sinto a minha dor insular na manhã que se estende em todo o céu, sobre todo o mundo. A manhã que desejaste e que chegou sem ti. A manhã em que te fomos buscar ao hospital, para finalmente o deixares, como também desejaste tantas vezes. Pai, vejo o canto nómada dos pardais e sei, vejo o dia criança e sei, vejo o puro do orvalho no verde na terra e sei. Sei e espero ainda.

Estava a manhã e deixei a nossa casa. Fechei as janelas e as portas, a escuridão; fechei as sombras. Revolvi o bolso, largo como os teus, e com as chaves que eram tuas e são tuas e nos deixaste, fechei a porta do quintal com duas voltas. Fechei o chão cheio de folhas que caíram por ti; os pessegueiros, obrigados pela primavera, cheios de folhas também; fechei os ramos braços das plantas, calados e colados às paredes; a capoeira, as coelheiras, o pombal, já sem criação, vazios; fechei o tanque da roupa e a tapada de oliveiras e o limoeiro que já não dá limonadas para os lanches. Fechei a porta do quintal e, na carrinha, saí. Ninguém se atreveu nas ruas da minha passagem, só a cal e o sol e as casas permaneceram no lugar onde as conhecemos tantos dias. E andei depressa, a fugir das ruas e das casas; depressa, ao contrário da outra manhã sem dormir em que nos fizeram ir devagar, contigo pela última vez, devagar a sofrer o caminho lento e gente gente gente atrás de nós. Pai, as ruas que fazia para chegar à escola, com a mala às costas, a mala amarela que me deste. As ruas que corria de bicicleta, e chegavam-te notícias de que andava depressa de mais, a bicicleta azul que um dia, nos meus anos, trouxeste na camioneta. A bicicleta e uma bola. Não me esqueço, pai. Passei depressa pelas ruas que sei e hei-de sempre saber de cor. Gravadas cá dentro da memória sincera. E passei a escola, e à entrada, à saída da nossa terra, parei. Diante do portão de ferro que se fecha todos os dias a separar-nos, diante dos muros caiados grossos altos, ouvi o toque dos sinos, leve, numa brisa, no silêncio. O cemitério branco, de contornos só negros, só branco. Segurei o portão, frio como todas as coisas que existem e nos separam, de um ferro muito mais forte que a nossa carne esforçada, a nossa carne sem forças para vencer e a lutar sempre. Entrei.

Entrei e, longe da manhã, o sol embaciou-se numa luz fresca escurecida, como um sol-pôr. E atravessei o corredor de jazigos, de musgo preso ao mármore. Dentro de mim, tu sabes, a dor constante a dor constante. Tu sabes. A capela à minha frente aproximava-se no vagar lento dos meus passos de procissão. Os ciprestes falavam lamentos acumulados. E caminhava como se o corpo desistisse de me acompanhar. Sem corpo. Imaterial e com o peso incómodo de mim, acima do chão, cheguei à capela e contornei-a e comecei a ver-te, pai. Ao longe, o desenho da tua cama de pedra, última, o teu altar singelo. E fui por uma vereda de campas, sempre a olhar-te. A andar sem ver, a seguir uma linha, a ver-te. És brilhante entre os que dormem. Pai. Eu mais perto de ti, a cada ave negra que planava sobre nós; mais perto de ti, a cada nuvem de encontro ao céu cansado. A cada silêncio no vento. Cheguei onde sei que estás, onde ficas, ficaste; onde estás, sob uma campânula de tempo cristalizado, tempo que não passa, mármore. Tem o teu nome, pai. O teu nome importante, pai. Escrito para sempre, como as nuvens, como as coisas que não morrem. E o teu rosto esmaltado olhou-me muito. Não me vias há muito tempo. Olhámo-nos tanto e sei que tiveste vontade de me falar, de me perguntar. Contei-te as novidades da menina da minha irmã que ainda procura por ti, que já diz bem avô. E vi um sorriso no parêntese do teu olhar. Pai, debaixo do teu nome o dia em que nasceste, o dia em que morreste. Lembras-te de quando te trouxe?, o silêncio, o luto, e eu quis te levar. O carro parou. Parou a chuva no céu. E eu quis-te levar. Fizeste tanto por mim, fizeste-me, e só pude te levar. Segurei uma pega, e o teu peso disse-me coisas de pai, e atravessei muito tempo, e deixei-te sobre dois paus sobre a cova, para te baixarem com cordas. E a terra sobre ti, a terra a cair sobre ti, a terra. Sobre ti, o peso da tua campa sem cruz, da terra, das manhãs todas. Crescem ervas miúdas à tua volta, pai. Os ciprestes levantam-se negros de ti. E antes de sair, bem sabes o horário da visita, pai, bem sabes que se fico mais a enfermeira chega e manda-me embora e ralha connosco; antes de sair, disse sou capaz, pai, hei-de construir como construiu; estes braços são os seus, estes braços são os seus, pai. Olhámo-nos de novo. Sim, eu volto, pai, eu volto. E enquanto me afastava, olhavas-me. E a dor constante a dor constante. Chorámos juntos. Tu sabes.

A carrinha acompanha-me. Leva-me agora. Pai. Há a primavera. Por toda a manhã que ainda existe, como um olhar que manténs, longo como o espaço da terra ao céu, fresco luminoso como foi, suavemente luminoso como suave branda é esta primavera por toda a manhã. Ah, pai, pudesse eu cair e descansar tanto tempo como tu. Cego, na terra, o peito húmido de sono, na noite. Tantas décadas e séculos, estátua serena submersa numa fonte limpa de água para beber. Anjo impermeável ao cansaço, entre flores, entre flores, campos e planícies. Ah, pai, pudesse eu cair e ser o teu retrato esmaltado, os tons encarnados o sangue do teu retrato esmaltado fixo no mármore. Pai. Aqui, só o tempo insone. E a luz que agora castiga a terra seca. E o que passa sem sabor por já ter passado tantas vezes. Esta estrada que me acompanha, que me leva. Esta estrada que me trouxe e agora me faz deixar-te. Esta luz que me agarra com braços de luz e não me deixa e não me deixa e me obriga nos seus caminhos. E continuo, pai. Vou como se não tivesse querer. Sabes que tenho. Herdei de ti a vontade. E daqui, da indiferença de tudo, recordo a nossa casa fechada. Sim, eu volto, pai, eu volto. Hei-de voltar e hei-de limpar o quintal e limpar a horta. Daqui, recordo o teu rosto no país que habitas, no país branco negro imenso, o teu rosto a seguir-me, perdido perdido a precisar de mim perdido num arquipélago de campas e mágoa e manhã ainda. Pai. A tua voz acompanha-me dentro de mim. Ouvir-te, pai. Como quando me chamavas e seguravas a minha mão e a pousavas sobre a tua barriga cheia de tumores. As bolas. A tua barriga deformada. Os altos. E nas tuas palavras simples, as bolas, os altos, dizias-me que estavas pior, que não melhoravas. E eu mentia-te sempre, mentia-te sempre. Os nossos olhares tão tristes. Pai. Como no hospital, tu a pedires-nos bolachas americanas. Talvez as consiga mastigar, que este comer enrola-se-me na boca e não me faz proveito. E nós a procurarmo-las por todo o lado e as pessoas a rirem-se, pai. Bolachas americanas como as que comias na feira de Estremoz, quando lá ias com a tua mãe e com os teus irmãos. Pai. A tua voz, os teus gemidos fracos na respiração, e eu e a minha mãe a olharmos-te, nós que te conhecemos, a irmos buscar-te ao quarto, nós que te conhecemos, a irmos levar-te à casa de banho. Pai, já nem isso podias e, nós que te conhecemos, segurámos-te pelos braços, levantámos-te. Os gemidos fracos na tua voz, as pernas sem força nas tuas pernas. Pai, tudo isto a tua voz, a minha voz me lembra. Tudo isto se fixa na manhã perpétua fúnebre que me segura e me impede sempre de esquecer.

 E não quero e não posso esquecer o que outrora senti do teu olhar. Pai, fiquei no silêncio do inverno que abraçaste. Não há primavera se não imaginar erva fresca das palavras erva fresca ditas por ti; não haverá verão se não imaginar o sol da palavra sol dita por ti; não haverá outono se não imaginar o fundo do esquecimento da palavra morte dita nos teus lábios. Por isso, pai, no ar, o silêncio de ti é sofrer, no tempo que passa, no ar, no tempo que não passa já. Não passa o tempo, sustentado na mentira das coisas pequenas falsas que só já mudam de lugar, que apenas se sucedem, que unicamente tomam o sítio umas das outras, a mentirem, deixando rasto, restolhando o seu caminho com patinhas de rato entre os arbustos secos mortos e os arbustos verdes viçosos: e nasce o sol do ocaso último que morreu contigo; e brisas fingem as brisas verdadeiras que te tocaram o rosto; nem as nuvens nem o firmamento são os mesmos: apenas mentiras a substituírem mentiras a cada momento que não passa. Faltas tu a levar o tempo.

Falta o teu olhar a guiar-nos se a chuva nos puxa. Pai, ter a tua memória dentro da minha é como carregar uma vingança, é como carregar uma saca às costas com uma vingança guardada para este mundo que nos castiga, cruel, este mundo que pisa aquele outro que pudemos viver juntos, de que sempre nos orgulharemos, que amámos para nunca esquecer.

Descansa, pai, dorme pequenino, que levo o teu nome e as tuas certezas e os teus sonhos no espaço dos meus. Descansa, não vou deixar que te aconteça mal. Não se aflija, pai. Sou forte nesta terra nos meus pés. Sou capaz e vou trabalhar e vou trazer de novo aqui o mundo que foi nosso. Vou mesmo, pai. O mundo solar. Reconhecê-lo-ei, porque não o esqueci. E também o tempo será de novo, e também a vida. Sem ti e sempre contigo. A tua voz a dizer orienta-te, rapaz. Não se apoquente, pai. Eu oriento-me. Pai, não se preocupe comigo. Eu oriento-me. E vou. Anoitece a estrada no que sobra da manhã. Chove sol luz onde está o que os meus olhos vêem. A carrinha grande que prometeste, que planeaste para nós, que ganhaste a trabalhar meses, leva-me. Onde estás, pai, que me deixaste só a gritar onde estás? Na angústia, preciso de te ouvir, preciso que me estendas a mão. E nunca mais nunca mais. Pai. Dorme, pequenino, que foste tanto. E espeta-se-me no peito nunca mais te poder ouvir ver tocar. Pai, onde estiveres, dorme agora. Menino. Eras um pouco muito de mim. Descansa, pai. Ficou o teu sorriso no que não esqueço, ficaste todo em mim. Pai.

COLEÇÃO GIRA

A língua portuguesa não é uma pátria, é um universo que guarda as mais variadas expressões. E foi para reunir esses modos de usar e criar através do português que surgiu a Coleção Gira, dedicada às escritas contemporâneas em nosso idioma em terras não brasileiras.

CURADORIA DE REGINALDO PUJOL FILHO

1. *Morreste-me*, de José Luís Peixoto
2. *Short movies*, de Gonçalo M. Tavares
3. *Animalescos*, de Gonçalo M. Tavares
4. *Índice médio de felicidade*, de David Machado
5. *O torcicologologista, Excelência*, de Gonçalo M. Tavares
6. *A criança em ruínas*, de José Luís Peixoto
7. *A coleção privada de Acácio Nobre*, de Patrícia Portela
8. *Maria dos Canos Serrados*, de Ricardo Adolfo
9. *Não se pode morar nos olhos de um gato*, de Ana Margarida de Carvalho
10. *O alegre canto da perdiz*, de Paulina Chiziane
11. *Nenhum olhar*, de José Luís Peixoto
12. *A Mulher-Sem-Cabeça e o Homem-do-Mau-Olhado*, de Gonçalo M. Tavares
13. *Cinco meninos, cinco ratos*, de Gonçalo M. Tavares
14. *Dias úteis*, de Patrícia Portela
15. *Vamos comprar um poeta*, de Afonso Cruz
16. *O caminho imperfeito*, de José Luís Peixoto
17. *Regresso a casa*, de José Luís Peixoto
18. *A boneca de Kokoschka*, de Afonso Cruz
19. *Nem todas as baleias voam*, de Afonso Cruz
20. *Atlas do corpo e da imaginação*, de Gonçalo M. Tavares
21. *Hífen*, de Patrícia Portela

Descubra a sua próxima
leitura em nossa loja online

dublinense .COM.BR

Composto em MINION e impresso na
PALLOTTI, em PÓLEN BOLD 90g/m²,
em AGOSTO de 2021.